COMPRENDRE
LA LITTÉRATURE

BERTOLT BRECHT

La Noce

Étude de l'œuvre

1 rue Honoré - 93500 Pantin.

ISBN 978-2-7593-0613-8

Dépôt légal : Juin 2020

Impression Books on Demand GmbH

In de Tarpen 42

22848 Norderstedt, Allemagne

SOMMAIRE

BIOGRAPHIE

BERTOLT BRECHT

Eugen Berthold Friedrich Brecht est né le 10 février 1898 à Augsbourg, en Bavière, dans une famille bourgeoise, fils d'un père catholique, dirigeant d'une fabrique de papier, et d'une mère protestante. Il commence à écrire très tôt (son premier texte est publié en 1914) et entame dès 1917 des études de philosophie, puis de médecine, et de littérature. Mais il est mobilisé comme infirmier en 1918. Il y rencontre l'horreur de la guerre, qui le marquera pour le reste de sa vie. Il écrit sa première pièce, *Baal*, en 1918 et rompt vite les liens qui l'attachaient encore à sa famille en partant à Munich. Suivent les pièces *Tambours dans la nuit* en 1919, qui reçoit le prix Kleist et en 1922 *Spartacus* et *Dans la jungle des villes*. Il est engagé comme conseiller littéraire en 1923.

En 1924, il s'installe à Berlin où il est dramaturge au Deutsches Theater de Max Reinhardt et rencontre l'actrice Hélène Weigel qui monte ses pièces. Elisabeth Hauptmann devient sa maîtresse et sa collaboratrice. Il publie ensuite *Homme pour homme* (1927) et *Grandeur et décadence de la ville de Mahagony*. Ces pièces suscitent des polémiques.

En 1926, Elisabeth Hauptmann, collaboratrice de Brecht, lit dans la presse que *L'Opéra des gueux* de John Gay connaît un succès retentissant sur les scènes anglaises. Elle traduit la pièce. Lorsqu'en décembre 1927 l'acteur Ernst Josef Aufricht prend la direction du Theater am Schiffbauerdamm, il contacte plusieurs dramaturges, entre autres Brecht, pour trouver la pièce d'ouverture de la saison 1928-29. Bien que Brecht n'ait écrit que quelques scènes, il lui propose sa version de *L'Opéra des gueux*. Le directeur se décide pour la proposition de Brecht et accepte également, dubitatif, le compositeur que celui-ci lui propose, Kurt Weill. Brecht écrit *L'Opéra de quat'sous*, le plus grand succès théâtral de son répertoire. L'action se déroule à l'époque victorienne et la critique se dirige déjà contre la vénalité et la corruption des affairistes. Le succès de la pièce n'a jamais fléchi. La même année, Brecht découvre l'œuvre de Marx et élabore la théorie du théâtre épique.

Dans les années 1930 les nationaux socialistes commencent à interrompre les représentations des pièces de Brecht. Celui-ci devient marxiste. Il épouse Hélène Weigel et après la prise du pouvoir par Hitler en 1933, décide de s'exiler, et parcourt l'Europe. L'œuvre de Brecht est interdite en Allemagne et brûlée lors de l'autodafé du 10 mai 1933. Brecht part s'installer au Danemark où il rencontre Hanns Eisler, Karl Korsch et Walter Benjamin. En 1935, il est déchu de sa nationalité allemande par le régime nazi. Il participe la même année au Congrès international des écrivains pour la défense de la culture à Paris. Il co-dirige une revue intitulée *Das Wort* dont le premier numéro paraît en 1936. En 1939, il fuit en Suède puis en Finlande et entre 1940 et 1945, s'installe à Santa Monica, aux États-Unis. Durant cette période, il écrit une grande partie de son œuvre dont *La Vie de Galilée*, *Mère courage et ses enfants*, *La Bonne Âme du Se-Tchouan*, *La Résistible Ascension d'Arturo Ui*, *Le Cercle de craie caucasien* et *Petit Organon pour le théâtre*. Installé près d'Hollywood, il réalise des travaux cinématographiques avec Fritz Lang.

En 1947, Brecht et sa famille sont chassés des États-Unis à cause du maccarthysme. Ils partent s'installer en Suisse. Les Alliés lui refusant le visa qui lui aurait permis de s'installer en RFA, il rejoint la RDA grâce aux Tchèques. En 1949, il s'installe définitivement à Berlin-Est. Il fonde avec Hélène Weigel le « Berliner Ensemble ». Il exprime ses prises de position socialiste. Il reprend et précise le théâtre épique fondé par Piscator et l'oriente autour de la notion de distanciation (*Verfremdungseffekt*) qui s'oppose à la tradition d'un théâtre dramatique d'identification. Brecht veut rompre avec l'illusion théâtrale et pousser le spectateur à la réflexion.

Ses pièces sont donc ouvertement didactiques : par l'usage de panneaux avec des maximes, des apartés en direction du public pour commenter la pièce, des intermèdes chantés, il force le spectateur à avoir un regard critique. L'acteur doit plus raconter qu'incarner, susciter la réflexion et le jugement plus que l'identification. Sa réputation ne cesse de croître en Allemagne et dans le monde entier, tout comme celle du Berliner Ensemble qui jouit, dès le milieu des années 1950, d'une reconnaissance internationale.

En 1950, il obtient la nationalité autrichienne (il était apatride depuis 1935). Le 17 juin 1953 éclate une grève à Berlin organisée par les ouvriers de RDA pour protester contre la médiocrité de leurs conditions de vie. Brecht saisit cette occasion pour envoyer à Walter Ulbricht une lettre où il exprime sa « solidarité avec le Parti socialiste unifié d'Allemagne ». Il exprime son soutien à Vladimir Semionovitsch Semionov, Gustav Just et Otto Grotewohl. Brecht voit l'origine des grèves dans la tentative du gouvernement « d'accroître la production en augmentant les normes de rendement sans contrepartie appropriée ». On a instrumentalisé les artistes pour en faire des propagandistes de ce projet. Brecht voit comme solution alternative un changement réel de la sphère de production. Dans un texte titré « Urgence d'un grand débat », il prend position à côté d'autres auteurs dans le *Neues Deutschland* du 23 juin 1953. Par ailleurs, il écrit un poème, *La Solution*, qui dit : « J'apprends que le gouvernement estime que le peuple a "trahi la confiance du régime" et "devra travailler dur pour regagner la confiance des autorités". Dans ce cas, ne serait-il pas plus simple pour le gouvernement de dissoudre le peuple et d'en élire un autre ? » Devenu une figure quasi-officielle du régime de la RDA, il obtient le prix Staline international pour la paix en 1955.

Mais dans sa réflexion poétique, Brecht prend dès juillet

1953 une attitude nettement plus distante face au gouvernement de la RDA. La discussion que Brecht souhaitait ne s'est pas réalisée ; il se retire alors des débats devenus stériles. Il meurt d'un infarctus le 14 août 1956 à Berlin. Sollicité quelques jours plus tôt par un journaliste, Brecht, ne perdant pas son goût pour les discussions, avait déclaré : « Écrivez que je n'étais pas commode et que je compte le rester après ma mort. Même là, il y aura encore certaines possibilités. »

PRÉSENTATION DE LA NOCE

La Noce est la plus longue et la plus jouée des pièces en un acte, que Brecht écrivit en 1919, à l'âge de vingt-et-un ans. Inspiré par les foires de sa ville natale d'Augsbourg, il raconte ici un moment clé de la vie de chacun : le repas de noces.

Créée en 1926 à Francfort, la pièce rencontre un demi-succès mais fait scandale. Dans la deuxième partie des années 1920, probablement dans le contexte d'un projet cinématographique non réalisé, Brecht intitule son manuscrit *La Noce chez les petits bourgeois*, ce qui en rétrécit un peu le champ d'application. La pièce n'ayant jamais été publiée du vivant de Brecht, les éditeurs allemands ont choisi après sa mort de garder ce titre, correspondant, semble-t-il, à l'image de terreur de la bourgeoisie alors attribuée à l'auteur. Cette pièce est publiée pour la première fois en 1961, cinq ans après la mort de l'auteur. Œuvre de jeunesse, *La Noce* est un huis clos choral qui dénonce les conventions sociales et les bassesses de la petite bourgeoisie de l'après-guerre.

RÉSUMÉ DE LA PIÈCE

La Noce s'ouvre sur une scène de fête autour d'un couple de jeunes mariés qui reçoit ses invités. Tout a été préparé à la perfection, habits de fête, repas généreux, discours, musique, pour faire de cette fête une soirée inoubliable. Les convives s'installent, tentant de se montrer sociables, de coller au mieux aux convenances bourgeoises. À la table des jeunes époux se trouvent la mère et un ami du marié, le père et la sœur de la mariée, un autre couple et un jeune homme. On sert du cabillaud. Le père de la mariée prend la parole pour raconter une anecdote de repas de confirmation.

Mais la perfection de la noce ne dure pas : très vite les langues se délient. Le père de la mariée raconte une histoire de syphilis ; sa fille est outrée. Il semble décidé à contrarier la tranquillité du repas. Un jeune homme prend la parole. Il semble courtiser la sœur de la mariée. Le père du marié raconte des histoires grossières que personne ne veut entendre. La mère de la mariée tente de relever le niveau des discussions, mais le résultat est peu probant. Un couple d'amis exhibe l'état lamentable de son mariage tandis que l'ami du marié profite de la situation pour chanter à tue-tête des airs de circonstance assez osés. On chante la désastreuse « Balade de la chasteté ». Pendant ce temps, la sœur de la mariée cherche un parti et le jeune homme présent à ses côtés en fait les frais.

Très vite, l'alcool aidant, les vraies natures prennent le pas sur les règles de bienséance si durement acquises. Les invités du mariage perdent au fil du repas leur bonne humeur. On parle des meubles en bois que le marié a faits pour son épouse. Un blagueur s'attarde sur le lit du couple. La noce se dégrade peu à peu, au même rythme que la maison s'écroule. La serrure de l'armoire est grippée, le pied de table se déboîte… Les illusions volent en éclats, les frustrations enflent, pendant que se déglinguent, un à un, les meubles du ménage. L'un des invités courtise la mariée dont on apprend au détour d'une conversation qu'elle est déjà enceinte. Le couple se querelle tandis que les convives s'enfuient les uns après les autres. La mariée déplore : « C'est la fête de la honte aujourd'hui ! » Puis le couple se réconcilie…

L'intérêt, quand on a touché le fond, c'est qu'il ne reste plus qu'à remonter la pente. La combinaison est idéale pour que les masques tombent et que l'amitié affichée cède le pas à l'obscénité et à la malveillance. Et, à l'instant où s'effondre le dernier meuble – le lit –, les lumières s'éteignent.

LES RAISONS DU SUCCÈS

En 1919, Bertolt Brecht passe ses soirées dans les brasseries munichoises en compagnie de Karl Valentin, fasciné par la logique farfelue et la dialectique complexe de ce dernier. Un soir, il écoute bien involontairement un homme raconter à ses voisins un repas de noce auquel il avait été convié la veille. Brecht trouve la description étrange : des paroles de l'inconnu – un petit bourgeois classique – émerge un tableau « idéal » de ce repas nuptial. Il se dit : « Ce Monsieur – volontairement ou non – a oublié quelque chose dans son récit… mais quoi ? Il a raconté un repas de noce comme si tous les repas de noce s'étaient toujours ressemblés. Il n'a rien dit des mariés ni des invités, presque rien de l'endroit où s'est passé le repas de noce ; il pense sans doute qu'un repas de noce reste un repas de noce, qu'il ait lieu à la ville ou à la campagne, dans la grande ou la petite bourgeoisie… » Et Brecht ouvre son carnet de notes.

D'après le témoignage d'un ami de Brecht qui le fréquentait à Augsbourg, il aurait composé dès l'automne 1919 une pièce intitulée *La Noce*. Mais elle ne sortit de ses tiroirs qu'en 1926, à l'occasion de sa création à Francfort. Une correction manuscrite de Brecht, remontant probablement à la deuxième moitié des années 1920, compléta son titre, qui fut désormais *La Noce chez les petits bourgeois*. Le texte, que Brecht n'a semble-t-il jamais révisé par la suite, ne fit l'objet d'une première publication, posthume, qu'en 1961.

La Noce est l'une des comédies de Brecht les plus souvent jouées grâce à une efficacité et une vitesse impressionnantes, un style burlesque, prosaïque, direct, quotidien, une progression inexorable du crescendo comique, une simplicité d'épure dont la puissance critique a souvent autorisé une lecture politique, une sûreté de trait dans la caricature qui ne va pourtant jamais jusqu'à priver tout à fait les personnages d'une chance, même infime, d'être aimés.

LES THÈMES PRINCIPAUX

Écrite en 1919, avant les pièces plus didactiques de la période marxiste de Bertolt Brecht, cette entreprise de destruction de l'institution matrimoniale a quelque chose de cruel et d'universel. Au-delà d'une lecture sociologique ou politique se cache une critique cinglante de la cruauté et de la jalousie qui sous-tendent tout rapport humain. *La Noce* nous rappelle que tous les coups sont permis et que l'homme n'est pas charitable par nature. Brecht montre avec humour et efficience la cruauté des hommes et le malin plaisir qu'ils prennent à se gâcher mutuellement la vie.

Le thème de la pièce parle à tout le monde : qui n'a pas assisté à un repas qui tourne mal ? Qui ne connaît pas de problèmes familiaux, liés aux non-dits et aux vieilles rancœurs ? Ou, du moins, qui n'a pas rêvé de déballer son sac en famille pour soulager sa conscience ? Sont réunies autour de la table du banquet deux générations (la troisième est en route, mais personne n'est censé le savoir) et toutes les variétés de l'état-civil, du veuf jusqu'à la fille à marier en passant par le vieux couple et l'ami célibataire. À mesure que la soirée avance, ses participants renoncent peu à peu à ce qui leur reste de bonnes manières et en profitent pour se dire leurs quatre vérités : tandis que le père cherche à tout prix à placer ses anecdotes, la meilleure amie de la mariée multiplie les allusions blessantes, et les autres convives ne valent guère mieux. Autour d'eux et sous leur poids, les meubles dont le marié était si fier pour les avoir construits de ses propres mains se déglinguent les uns après les autres ; et la pièce s'achève après le départ des derniers invités sur le craquement bruyant du lit conjugal qui s'effondre à son tour.

D'emblée, nous savons que va se déployer devant nous l'histoire d'une catastrophe. À peine le rideau est-il levé que nous comprenons les règles du jeu et pressentons qu'elles seront bafouées. Car ce jeu étriqué est celui de la prétention, de la convention et des apparences. Et il se joue dans un monde intemporel et sans issue, réduit aux quelques pièces d'un appartement qui ne pourra même pas être visité, l'action ne quittant à aucun moment le salon qui sombre grotesquement sous nos yeux. Aucune date, aucune allusion à un monde plus vaste, à un événement qui serait marquant. Nul ne sait comment, de quoi, à qui parler. Le père est un raseur, l'amie, une langue de vipère, et son mari est atteint de « marasme », tandis que l'ami chante une chanson très mal choisie... Avec une sécheresse et une brièveté clinique, La Noce constitue ainsi comme un petit catalogue de différentes formes pathologiques de discours creux ou aliénés.

Les plats (qui, à défaut des invités, alimentent au moins leur conversation) rythment d'abord la marche vers le désastre, tandis que les convives, sous l'emprise de l'alcool, se laissent glisser sur leur propre pente fatale qui les conduit tour à tour au silence ou à l'injure. Certaines étapes de la soirée font partie d'un programme que les participants s'évertuent à respecter et qu'ils énoncent soigneusement comme pour combler le vide. On peut y voir une sorte d'effet de distanciation à l'état sauvage, non encore théorisé : maintenant c'est le gâteau, maintenant il faut faire un discours, maintenant on danse... Ces étapes se multiplient, leur succession s'accélère jusqu'à devenir secrètement oppressante. D'autres sont involontaires, maladresses, malentendus et malfaçons qui parasitent et sabotent le déroulement de la cérémonie, semant le trouble et la discorde. Ces deux lignes, celle du menu et celle des imprévus, finissent par se rejoindre dans les ténèbres des coulisses, où résonne soudain, tel un accord final et dérisoire, le fracas indéchiffrable du lit matrimonial qui se brise.

La pièce décrit de manière caustique et grinçante une classe sociale précise dans un pays précis à une époque précise : l'Allemagne des années 1920 est caractérisée par le sentiment de défaite, l'inflation et le chômage généralisé. À l'image du jeune époux, certains pensent pouvoir trouver le bonheur en se réfugiant entre leurs quatre murs, plaçant tous leurs espoirs dans des solutions individualistes : le bricolage auquel il s'adonne pour fabriquer son univers familial n'est pas simplement un remède à la pauvreté, il est aussi une façon de s'affirmer comme un individu à part entière. Cette activité fait de lui le self-made-man qui reste un modèle enviable dans une société où personne ne peut rien pour personne. Et pourtant, précisément parce qu'au cours de ce repas de noce tout s'écroule, les meubles, mais aussi les règles morales d'une classe sociale en pleine crise, les jeunes époux décident d'accompagner le cours des événements : mesurant l'étendue du désastre de leur repas de noce, ils finissent la soirée désespérément, en se saoulant, en injuriant les invités qui sont partis et en détruisant le lit nuptial. Ils nient l'ordre moral qui était jusqu'ici l'objet de leurs efforts.

« Comme l'Allemagne m'ennuie ! C'est un bon pays moyen, les couleurs pâles et les plaines y sont belles, mais quels habitants ! Une paysannerie déchue, mais dont la grossièreté n'engendre pas de monstres fabuleux, au contraire un abrutissement tranquille, une classe moyenne chargée de mauvaise graisse et une intelligentsia épuisée ! » Bertolt Brecht, dans *Journaux 1920-1922* (éd. de L'Arche). *La Noce* est politique dans une certaine mesure, puisque liée à une certaine société. Comme toute pièce, elle est le miroir d'une société. Mais La Noce a été écrite quand Brecht avait vingt-et-un ans. Elle se définit avant tout comme une critique de la nouvelle génération vis-à-vis de l'ancienne. *La Noce* dénonce l'homme individualiste, la bourgeoisie égoïste et égocentrique repliée sur certains symboles. Prenons le mobilier du décor. Il a été entièrement réalisé par le marié. Voilà un symbole : la bourgeoisie se complaisant dans son « savoir-faire tout seul », fière de son indépendance et incapable de rien mettre à la disposition des autres. On peut faire un parallèle entre *La Noce* et *La Cerisaie de Tchekhov*. La Cerisaie montre un paysan parvenu qui achète un domaine à des bourgeois décadents. Une inversion de valeurs se produit. Il en est de même dans *La Noce*.

En regardant la petite bourgeoisie allemande des années 1920 telle que décrite par Brecht, nous ne pouvons nous empêcher de nous rappeler que c'est cette même petite bourgeoisie qui, déçue de l'avancement démocratique que lui proposait la république capitaliste de Weimar, finira par élire Hitler au pouvoir, avec l'espoir tacite que ce « guide » redresserait le pays économiquement, lui rendrait sa fierté nationale, doperait la monnaie, abolirait le chômage, et les débarrasserait définitivement des parasites, des mécontents et des philosophes. L'Histoire nous a appris la suite. Quand Brecht écrit sa pièce, en 1919, il ne sait évidemment pas que viendra Hitler. Il fait la critique d'une catégorie sociale, critique qui pourrait servir de sonnette d'alarme : « Voyez comme nous sommes devenus les esclaves du regard des autres. » Sans une certaine mentalité, sans un « climat », la pièce n'aurait pas eu de raison d'être. Et sans cette même mentalité, Hitler n'aurait sans doute pas pris le pouvoir quelques années plus tard. Voilà ce qui est vraiment actuel dans La Noce : lorsqu'il y a une perte de valeurs, lorsque s'établit une confusion entre vice et vertu, il y a souvent quelqu'un pour en profiter.

ÉTUDE DU MOUVEMENT LITTÉRAIRE

C'est en 1919, à vingt-et-un ans, que Bertolt Brecht écrit *La Noce*. Cette pièce en un acte est représentative de sa première période, inspirée par l'art de son ami Karl Valentin, célèbre chansonnier et acteur comique. Elle suit d'un an la première version de *Baal*, et montre un Brecht à l'humour féroce et grinçant, dont l'orientation politique est en chantier, et qui n'a pas encore opté pour un théâtre à effet de distanciation, tel qu'il existe à partir de *L'Opéra de quat'sous* (1928).

Dramaturge, poète, romancier, scénariste, fervent antifasciste, en exil à travers l'Europe et les États-Unis de 1933 à 1947, puis protégé du régime est-allemand jusqu'à sa mort en 1956, Bertolt Brecht bouleverse les codes du théâtre et enrichit le répertoire mondial de chefs-d'œuvre avec *La Vie de Galilée*, *Mère Courage et ses enfants*, *Le Cercle de craie caucasien*, *La Résistible Ascension d'Arturo Ui*. *La Noce* est donc une œuvre de jeunesse qui revêt un caractère touchant et intrigant, tout en posant les jalons du théâtre tel que l'auteur saura le réinventer à sa manière quelques années plus tard.

Bertolt Brecht, devenu assistant d'Erwin Piscator avec lequel il fait l'expérience du « théâtre politique », soucieux de comprendre les mécanismes socio-économiques qui régissent le monde contemporain, commence à lire l'œuvre de Marx qu'il ne connaissait pas, mais dans laquelle il voit « un immense réservoir d'idées pour son théâtre » (Jean-Pierre Amette). La montée du nazisme précipitera son repositionnement artistique par rapport à l'expressionnisme de ses débuts : son théâtre épique, en germe dès les premières œuvres, prendra alors une forme explicite.

Brecht écrit *La Noce* en souhaitant sans doute que l'Homme aide un peu plus l'Homme. Il l'écrit en pensant qu'il y a un moyen pour chacun d'être plus heureux. Mais il constate du même coup que le bonheur des patrons n'est pas le bonheur des ouvriers, et que c'est de là que naît le conflit. Alors comment redistribuer les cartes pour en arriver à davantage d'harmonie ? Le fait de poser cette question est une petite révolution en soi. Dans cette optique, La Noce doit amener chacun à faire son autocritique tout en restant dans la bonne humeur. Qui vient principalement au théâtre ? Les bourgeois. Pourquoi y viennent-ils ? Parce qu'ils constituent la classe sociale extrêmement fragile qui porte en elle les valeurs de la société. Son mérite, c'est peut-être d'être devenue aujourd'hui la catégorie sociale qui se pose le plus de questions. Les grandes périodes créatives du théâtre, Molière, Goldoni, Brecht, s'articulent souvent sur les crises de la bourgeoisie. Rassurer la bourgeoisie par l'action théâtrale et par le rire en n'omettant pas de dénoncer ses vices est salutaire. Ne perdons donc pas de vue que Brecht a écrit son théâtre pour la bourgeoisie.

DANS LA MÊME COLLECTION
(par ordre alphabétique)

- **Anonyme**, *La Farce de Maître Pathelin*
- **Aragon**, *Aurélien*
- **Aragon**, *Le Paysan de Paris*
- **Austen**, *Raison et Sentiments*
- **Balzac**, *Illusions perdues*
- **Balzac**, *La Cousine Bette*
- **Balzac**, *La Femme de trente ans*
- **Balzac**, *Le Colonel Chabert*
- **Balzac**, *Le Lys dans la vallée*
- **Barbey d'Aurevilly**, *L'Ensorcelée*
- **Barbey d'Aurevilly**, *Les Diaboliques*
- **Bataille**, *Ma mère*
- **Baudelaire**, *Les Fleurs du Mal*
- **Baudelaire**, *Petits poèmes en prose*
- **Beaumarchais**, *Le Barbier de Séville*
- **Beaumarchais**, *Le Mariage de Figaro*
- **Beauvoir**, *Mémoires d'une jeune fille rangée*
- **Beckett**, *En attendant Godot*
- **Beckett**, *Fin de partie*
- **Brecht**, *La Résistible ascension d'Arturo Ui*
- **Brecht**, *Mère Courage et ses enfants*
- **Breton**, *Nadja*
- **Brontë**, *Jane Eyre*
- **Camus**, *L'Étranger*
- **Carroll**, *Alice au pays des merveilles*
- **Céline**, *Mort à crédit*
- **Céline**, *Voyage au bout de la nuit*
- **Chateaubriand**, *Atala*

- **Chateaubriand**, *René*
- **Chrétien de Troyes**, *Perceval*
- **Cocteau**, *La Machine infernale*
- **Cocteau**, *Les Enfants terribles*
- **Colette**, *Le Blé en herbe*
- **Corneille**, *Le Cid*
- **Crébillon fils**, *Les Égarements du cœur et de l'esprit*
- **Defoe**, *Robinson Crusoé*
- **Dickens**, *Oliver Twist*
- **Du Bellay**, *Les Regrets*
- **Dumas**, *Henri III et sa cour*
- **Duras**, *L'Amant*
- **Duras**, *La Pluie d'été*
- **Duras**, *Un barrage contre le Pacifique*
- **Flaubert**, *Bouvard et Pécuchet*
- **Flaubert**, *L'Éducation sentimentale*
- **Flaubert**, *Madame Bovary*
- **Flaubert**, *Salammbô*
- **Gary**, *La Vie devant soi*
- **Gautier**, *Emaux et Camées*
- **Giraudoux**, *Électre*
- **Giraudoux**, *La Guerre de Troie n'aura pas lieu*
- **Gogol**, *Le Mariage*
- **Homère**, *L'Odyssée*
- **Hugo**, *Hernani*
- **Hugo**, *Les Châtiments*
- **Hugo**, *Les Contemplations*
- **Hugo**, *Les Misérables*
- **Hugo**, *Notre-Dame de Paris*
- **Huxley**, *Le Meilleur des mondes*
- **Jaccottet**, *À la lumière d'hiver*
- **James**, *Une vie à Londres*
- **Jarry**, *Ubu roi*

- **Kafka**, *La Métamorphose*
- **Kerouac**, *Sur la route*
- **Kessel**, *Le Lion*
- **La Fayette**, *La Princesse de Clèves*
- **Le Clézio**, *Mondo et autres histoires*
- **Levi**, *Si c'est un homme*
- **London**, *Croc-Blanc*
- **Maupassant**, *Boule de suif*
- **Maupassant**, *Le Horla*
- **Maupassant**, *Une vie*
- **Molière**, *Amphitryon*
- **Molière**, *Dom Juan*
- **Molière**, *L'Avare*
- **Molière**, *Le Malade imaginaire*
- **Molière**, *Le Tartuffe*
- **Molière**, *Les Fourberies de Scapin*
- **Musset**, *Les Caprices de Marianne*
- **Musset**, *Lorenzaccio*
- **Musset**, *On ne badine pas avec l'amour*
- **Perec**, *La Disparition*
- **Perec**, *Les Choses*
- **Perrault**, *Contes*
- **Prévert**, *Paroles*
- **Prévost**, *Manon Lescaut*
- **Proust**, *À l'ombre des jeunes filles en fleurs*
- **Proust**, *Albertine disparue*
- **Proust**, *Du côté de chez Swann*
- **Proust**, *Le Côté de Guermantes*
- **Proust**, *Le Temps retrouvé*
- **Proust**, *Sodome et Gomorrhe*
- **Proust**, *Un amour de Swann*
- **Queneau**, *Exercices de style*
- **Quignard**, *Tous les matins du monde*

- **Rabelais**, *Gargantua*
- **Rabelais**, *Pantagruel*
- **Racine**, *Andromaque*
- **Racine**, *Bérénice*
- **Racine**, *Britannicus*
- **Racine**, *Phèdre*
- **Renard**, *Poil de carotte*
- **Rimbaud**, *Une saison en enfer*
- **Sagan**, *Bonjour tristesse*
- **Saint-Exupéry**, *Le Petit Prince*
- **Sarraute**, *Enfance*
- **Sarraute**, *Tropismes*
- **Sartre**, *Huis clos*
- **Sartre**, *La Nausée*
- **Senghor**, *La Belle histoire de Leuk-le-lièvre*
- **Shakespeare**, *Roméo et Juliette*
- **Steinbeck**, *Les Raisins de la colère*
- **Stendhal**, *La Chartreuse de Parme*
- **Stendhal**, *Le Rouge et le Noir*
- **Verlaine**, *Romances sans paroles*
- **Verne**, *Une ville flottante*
- **Verne**, *Voyage au centre de la Terre*
- **Vian**, *J'irai cracher sur vos tombes*
- **Vian**, *L'Arrache-cœur*
- **Vian**, *L'Écume des jours*
- **Voltaire**, *Candide*
- **Voltaire**, *Micromégas*
- **Zola**, *Au Bonheur des Dames*
- **Zola**, *Germinal*
- **Zola**, *L'Argent*
- **Zola**, *L'Assommoir*
- **Zola**, *La Bête humaine*
- **Zola**, *Nana*

Lightning Source UK Ltd.
Milton Keynes UK
UKHW010752160720
366640UK00003B/647